THE SNOWMAN™

This edition published 1995 by
Claremont Books an imprint of
Godfrey Cave Associates
42 Bloomsbury Street
London WC1B 3QJ

First published 1987 by Hamish Hamilton
Copyright © 1987 Snowman Enterprises Ltd

ISBN 1-85471-773-1

Printed in Italy

This book belongs to:

Only the best

Georgina or Georgie

roth

Darlington

The Snowman

BIRTHDAY BOOK

CLAREMONT BOOKS

JANUARY

1st ___Granny Darlington___

2nd ———————————

3rd ———————————

4th ———————————

JANUARY

5th ————————————

————————————

————————————

————————————

6th ————————————

————————————

————————————

7th *NiK Darlington* ————

————————————

————————————

8th ————————————

————————————

————————————

JANUARY

9th ——————

————————

————————

————————

10th ——————

————————

————————

————————

11th ——————

————————

————————

————————

12th ——————

————————

————————

————————

JANUARY

13th ———————————————————

—————————————————————————

—————————————————————————

—————————————————————————

14th ———————————————————

—————————————————————————

—————————————————————————

—————————————————————————

15th ———————————————————

—————————————————————————

—————————————————————————

—————————————————————————

16th ———————————————————

—————————————————————————

—————————————————————————

—————————————————————————

17th —————————————
————————————————
————————————————
————————————————

18th —————————————
————————————————
————————————————
————————————————

19th —————————————
————————————————
————————————————

20th —————————————
————————————————
————————————————
————————————————

JANUARY

21st ———————————————
—————————————————————
—————————————————————
—————————————————————

22nd ———————————————
—————————————————————
—————————————————————
—————————————————————

23rd ———————————————
—————————————————————
—————————————————————
—————————————————————

24th ———————————————
—————————————————————
—————————————————————
—————————————————————

25th ————————————
————————————————
————————————————
————————————————

26th ————————————
————————————————
————————————————
————————————————

27th ————————————
————————————————
————————————————
————————————————

28th ————————————
————————————————
————————————————
————————————————

29th ———————————————
———————————————————
———————————————————
———————————————————

30th ———————————————
———————————————————
———————————————————
———————————————————

31st ———————————————
———————————————————
———————————————————
———————————————————

FEBRUARY

1st ——————————

2nd ——————————

3rd ——————————

4th ——————————

FEBRUARY

5th ——————————————
————————————————————
————————————————————
————————————————————

6th ——————————————
————————————————————
————————————————————
————————————————————

7th ——————————————
————————————————————
————————————————————
————————————————————

8th ——————————————
————————————————————
————————————————————
————————————————————

FEBRUARY

9th ——————————————

—————————————————————

—————————————————————

—————————————————————

10th ——————————————

—————————————————————

—————————————————————

—————————————————————

11th ——————————————

—————————————————————

—————————————————————

—————————————————————

12th ——————————————

—————————————————————

—————————————————————

—————————————————————

FEBRUARY

13th ——————————————

——————————————

——————————————

——————————————

14th ——————————————

——————————————

——————————————

——————————————

15th ——————————————

——————————————

——————————————

——————————————

16th ——————————————

——————————————

——————————————

——————————————

FEBRUARY

17th —————————————————
————————————————————
————————————————————
————————————————————

18th —————————————————
————————————————————
————————————————————
————————————————————

19th —————————————————
————————————————————
————————————————————
————————————————————

20th —————————————————
————————————————————
————————————————————
————————————————————

FEBRUARY

21st ————————————————

————————————————————

————————————————————

————————————————————

22nd ———————————————

————————————————————

————————————————————

————————————————————

23rd ————————————————

————————————————————

————————————————————

————————————————————

24th ————————————————

————————————————————

————————————————————

————————————————————

FEBRUARY

25th ————————————————————

————————————————————————

————————————————————————

————————————————————————

26th ————————————————————

————————————————————————

————————————————————————

————————————————————————

27th ————————————————————

————————————————————————

————————————————————————

————————————————————————

28th ————————————————————

————————————————————————

————————————————————————

29th ————————————————————

MARCH

1st ————————————————————

————————————————————————

————————————————————————

2nd ———————————————————

————————————————————————

————————————————————————

3rd ————————————————————

————————————————————————

————————————————————————

4th ————————————————————

————————————————————————

————————————————————————

MARCH

5th ——————————————

——————————————

——————————————

——————————————

6th ——————————————

——————————————

——————————————

——————————————

7th ——————————————

——————————————

——————————————

——————————————

8th ——————————————

——————————————

——————————————

——————————————

MARCH

9th ————————————

————————————————

————————————————

————————————————

10th ———————————

————————————————

————————————————

————————————————

11th ———————————

————————————————

————————————————

————————————————

12th ———————————

————————————————

————————————————

————————————————

MARCH

13th ————————————————————
————————————————————————
————————————————————————
————————————————————————

14th ————————————————————
————————————————————————
————————————————————————
————————————————————————

15th ————————————————————
————————————————————————
————————————————————————
————————————————————————

16th ————————————————————
————————————————————————
————————————————————————
————————————————————————

MARCH

17th ————————————

————————————

————————————

————————————

18th ————————————

————————————

————————————

————————————

19th ————————————

————————————

————————————

————————————

20th ————————————

————————————

————————————

————————————

MARCH

21st ——————————————
————————————————————
————————————————————
————————————————————

22nd——————————————
————————————————————
————————————————————
————————————————————

23rd ——————————————
————————————————————
————————————————————
————————————————————

24th ——————————————
————————————————————
————————————————————
————————————————————

MARCH

25th ———————————————
————————————————————
————————————————————
————————————————————

26th ———————————————
————————————————————
————————————————————
————————————————————

27th ———————————————
————————————————————
————————————————————
————————————————————

28th ———————————————
————————————————————
————————————————————
————————————————————

MARCH

29th _____

_____

_____

_____

30th _____

_____

_____

31st _____

_____

_____

_____

APRIL

1st ——————————

————————————

————————————

2nd ——————————

————————————

————————————

3rd ——————————

————————————

————————————

4th ——————————

————————————

————————————

APRIL

5th ————————————

————————————————

————————————————

————————————————

6th ————————————

————————————————

————————————————

————————————————

7th ————————————

————————————————

————————————————

————————————————

8th ————————————

————————————————

————————————————

————————————————

9th ——————————————

————————————————————

————————————————————

————————————————————

10th ——————————————

————————————————————

————————————————————

————————————————————

11th ——————————————

————————————————————

————————————————————

————————————————————

12th ——————————————

————————————————————

————————————————————

————————————————————

APRIL

13th ————————————
————————————————
————————————————
————————————————

14th ————————————
————————————————
————————————————
————————————————

15th ————————————
————————————————
————————————————
————————————————

16th ————————————
————————————————
————————————————
————————————————

17th ——————————
———————————————
———————————————
———————————————

18th ——————————
———————————————
———————————————
———————————————

19th ——————————
———————————————
———————————————
———————————————

20th ——————————
———————————————
———————————————
———————————————

APRIL

21st ——————————————
————————————————————
————————————————————
————————————————————

22nd ——————————————
————————————————————
————————————————————
————————————————————

23rd ——————————————
————————————————————
————————————————————
————————————————————

24th ——————————————
————————————————————
————————————————————
————————————————————

APRIL

25th ————————————
————————————————
————————————————
————————————————

26th ————————————
————————————————
————————————————
————————————————

27th ————————————
————————————————
————————————————
————————————————

28th ————————————
————————————————
————————————————
————————————————

29th————————————

————————————

————————————

————————————

30th ————————————

————————————

————————————

————————————

1st —————————————

—————————————

—————————————

—————————————

2nd —————————————

—————————————

—————————————

—————————————

3rd —————————————

—————————————

—————————————

—————————————

4th —————————————

—————————————

—————————————

—————————————

5th ————————————

————————————
————————————
————————————

6th ————————————

————————————
————————————
————————————

7th ————————————

————————————
————————————
————————————

8th ————————————

————————————
————————————
————————————

MAY

9th ————————————————

————————————————————

————————————————————

10th ———————————————

————————————————————

————————————————————

11th ———————————————

————————————————————

————————————————————

12th ———————————————

————————————————————

————————————————————

MAY

13th ———————————————

———————————————

———————————————

———————————————

14th ———————————————

———————————————

———————————————

———————————————

15th ———————————————

———————————————

———————————————

———————————————

16th ———————————————

———————————————

———————————————

———————————————

MAY

17th —————————————————

—————————————————————

—————————————————————

—————————————————————

18th —————————————————

—————————————————————

—————————————————————

—————————————————————

19th —————————————————

—————————————————————

—————————————————————

—————————————————————

20th —————————————————

—————————————————————

—————————————————————

—————————————————————

MAY

21st ——————————

————————————

————————————

22nd——————————

————————————

————————————

23rd ——————————

————————————

————————————

24th ——————————

————————————

————————————

MAY

25th ————————————————
————————————————————
————————————————————
————————————————————

26th ————————————————
————————————————————
————————————————————
————————————————————

27th ————————————————
————————————————————
————————————————————
————————————————————

28th ————————————————
————————————————————
————————————————————
————————————————————

29th _____

_____

_____

_____

30th _____

_____

_____

_____

31st _____

_____

_____

_____

JUNE

1st —————————————————

—————————————————————

—————————————————————

2nd ————————————————

—————————————————————

—————————————————————

3rd —————————————————

—————————————————————

—————————————————————

4th —————————————————

—————————————————————

—————————————————————

—————————————————————

JUNE

5th ————————————————————

————————————————————————

————————————————————————

————————————————————————

6th ————————————————————

————————————————————————

————————————————————————

————————————————————————

7th ————————————————————

————————————————————————

————————————————————————

————————————————————————

8th ————————————————————

————————————————————————

————————————————————————

————————————————————————

JUNE

9th ——————————

10th ——————————

11th ——————————

12th ——————————

JUNE

13th ——————————

——————————————

——————————————

——————————————

14th ——————————

——————————————

——————————————

——————————————

15th ——————————

——————————————

——————————————

——————————————

16th ——————————

——————————————

——————————————

——————————————

JUNE

17th ————————————
————————————————
————————————————
————————————————

18th ————————————
————————————————
————————————————
————————————————

19th ————————————
————————————————
————————————————
————————————————

20th ————————————
————————————————
————————————————
————————————————

JUNE

21st ————————————————
————————————————————
————————————————————
————————————————————

22nd ———————————————
————————————————————
————————————————————
————————————————————

23rd ————————————————
————————————————————
————————————————————
————————————————————

24th ————————————————
————————————————————
————————————————————
————————————————————

JUNE

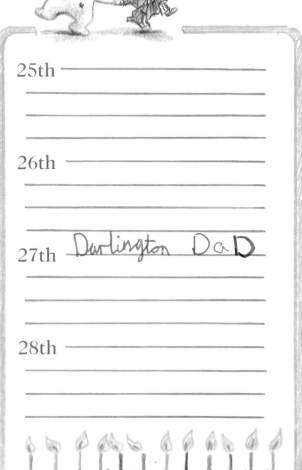

25th ————————————————

————————————————————

————————————————————

————————————————————

26th ————————————————

————————————————————

————————————————————

————————————————————

27th — Darlington DaD ——————

————————————————————

————————————————————

————————————————————

28th ————————————————

————————————————————

————————————————————

————————————————————

JUNE

29th ——————————————————

——————————————————

——————————————————

30th ——————————————————

——————————————————

——————————————————

JULY

1st ————————————
————————————————
————————————————

2nd ————————————
————————————————
————————————————

3rd ————————————
————————————————
————————————————

4th ————————————
————————————————
————————————————

5th ————————————

——————————————

——————————————

——————————————

6th ————————————

——————————————

——————————————

——————————————

7th ————————————

——————————————

——————————————

——————————————

8th ————————————

——————————————

——————————————

——————————————

9th ―――――――――――――――

10th ―――――――――――――――

11th ―――――――――――――――

12th ―――――――――――――――

JULY

13th ——————————————

——————————————

——————————————

——————————————

14th ——————————————

——————————————

——————————————

——————————————

15th ——————————————

——————————————

——————————————

——————————————

16th ——————————————

——————————————

——————————————

——————————————

17th ————————————

————————————————

————————————————

————————————————

18th ————————————

————————————————

————————————————

————————————————

19th ————————————

————————————————

————————————————

————————————————

20th ————————————

————————————————

————————————————

————————————————

21st ───────────────
─────────────────
─────────────────
─────────────────

22nd ──────────────
─────────────────
─────────────────
─────────────────

23rd ───────────────
─────────────────
─────────────────
─────────────────

24th ───────────────
─────────────────
─────────────────
─────────────────

JULY

25th ———————————————
————————————————————
————————————————————
————————————————————

26th ———————————————
————————————————————
————————————————————
————————————————————

27th ———————————————
————————————————————
————————————————————
————————————————————

28th ———————————————
————————————————————
————————————————————
————————————————————

29th ——————————————
————————————————————
————————————————————
————————————————————

30th ——————————————
————————————————————
————————————————————
————————————————————

31st ——————————————
————————————————————
————————————————————
————————————————————

AUGUST

1st ——————————

2nd ——————————

3rd ——————————

4th Uncle Cris

5th —————————————————

———————————————————

———————————————————

———————————————————

6th —————————————————

———————————————————

———————————————————

———————————————————

7th —————————————————

———————————————————

———————————————————

———————————————————

8th —————————————————

———————————————————

———————————————————

———————————————————

AUGUST

9th ——————————

——————————————

——————————————

——————————————

10th ——————————

——————————————

——————————————

——————————————

11th ——————————

——————————————

——————————————

——————————————

12th ——————————

——————————————

——————————————

——————————————

AUGUST

13th ——————————————————
————————————————————————
————————————————————————
————————————————————————

14th ——————————————————
————————————————————————
————————————————————————
————————————————————————

15th ——————————————————
————————————————————————
————————————————————————
————————————————————————

16th ——————————————————
————————————————————————
————————————————————————
————————————————————————

17th ————————————

————————————————

————————————————

————————————————

18th ————————————

————————————————

————————————————

————————————————

19th ————————————

————————————————

————————————————

————————————————

20th ————————————

————————————————

————————————————

————————————————

AUGUST

21st ———————————

———————————————

———————————————

———————————————

22nd ——————————

———————————————

———————————————

———————————————

23rd ———————————

———————————————

———————————————

———————————————

24th ———————————

———————————————

———————————————

———————————————

25th ————————————

————————————

————————————

26th ————————————

————————————

————————————

27th ————————————

————————————

————————————

28th ————————————

————————————

————————————

29th ——————————————————

——————————————————————

——————————————————————

——————————————————————

30th ——————————————————

——————————————————————

——————————————————————

——————————————————————

31st ——————————————————

——————————————————————

——————————————————————

——————————————————————

SEPTEMBER

1st ————————————

2nd *Grandpa Darlington*

3rd ————————————

4th ————————————

SEPTEMBER

5th ——————————

—————————————

—————————————

—————————————

6th ——————————

—————————————

—————————————

—————————————

7th ——————————

—————————————

—————————————

—————————————

8th ——————————

—————————————

—————————————

—————————————

SEPTEMBER

9th ———————————————

———————————————————

———————————————————

10th ——————————————

———————————————————

———————————————————

11th ——————————————

———————————————————

———————————————————

12th ——————————————

———————————————————

———————————————————

SEPTEMBER

13th —————————————————
—————————————————————
—————————————————————
—————————————————————

14th —————————————————
—————————————————————
—————————————————————
—————————————————————

15th —————————————————
—————————————————————
—————————————————————
—————————————————————

16th —————————————————
—————————————————————
—————————————————————
—————————————————————

SEPTEMBER

17th ————————————————————

————————————————————————

————————————————————————

————————————————————————

18th ————————————————————

————————————————————————

————————————————————————

————————————————————————

19th ————————————————————

————————————————————————

————————————————————————

————————————————————————

20th ————————————————————

————————————————————————

————————————————————————

————————————————————————

SEPTEMBER

21st ————————————————

————————————————————

————————————————————

————————————————————

22nd ————————————————

————————————————————

————————————————————

————————————————————

23rd ————————————————

————————————————————

————————————————————

————————————————————

24th ————————————————

————————————————————

————————————————————

————————————————————

SEPTEMBER

25th ———————————————————

———————————————————————

———————————————————————

———————————————————————

26th ———————————————————

———————————————————————

———————————————————————

———————————————————————

27th ———————————————————

———————————————————————

———————————————————————

———————————————————————

28th ———————————————————

———————————————————————

———————————————————————

———————————————————————

29th _____

_____

_____

30th _____

_____

_____

OCTOBER

1st ———————————————

————————————————————

————————————————————

2nd ——————————————

————————————————————

————————————————————

3rd ———————————————

————————————————————

————————————————————

4th ———————————————

————————————————————

————————————————————

OCTOBER

5th ——————————

6th ——————————

7th A Lice Hilliard

8th ——————————

OCTOBER

9th —————————————

————————————————

————————————————

————————————————

10th —————————————

————————————————

————————————————

11th —————————————

————————————————

————————————————

12th —————————————

————————————————

————————————————

————————————————

OCTOBER

13th ——————————————
————————————————————
————————————————————
————————————————————

14th ——————————————
————————————————————
————————————————————
————————————————————

15th ——————————————
————————————————————
————————————————————
————————————————————

16th ——————————————
————————————————————
————————————————————
————————————————————

OCTOBER

17th ————————————
—————————————————
—————————————————
—————————————————

18th ————————————
—————————————————
—————————————————
—————————————————

19th ————————————
—————————————————
—————————————————
—————————————————

20th ————————————
—————————————————
—————————————————
—————————————————

21st ————————————————

22nd ————————————————

23rd ————————————————

24th *Mummy Darlington*

OCTOBER

25th ————————————
————————————————
————————————————
————————————————

26th ————————————
————————————————
————————————————
————————————————

27th ————————————
————————————————
————————————————
————————————————

28th ————————————
————————————————
————————————————
————————————————

OCTOBER

29th ——————————————
————————————————————
————————————————————
————————————————————

30th ——————————————
————————————————————
————————————————————
————————————————————

31st ——————————————
————————————————————
————————————————————
————————————————————

NOVEMBER

1st —————————————

————————————————

————————————————

2nd —————————————

————————————————

————————————————

3rd —————————————

————————————————

————————————————

4th —————————————

————————————————

————————————————

————————————————

NOVEMBER

5th ————————————————————

————————————————————————

————————————————————————

————————————————————————

6th ————————————————————

————————————————————————

————————————————————————

————————————————————————

7th ————————————————————

————————————————————————

————————————————————————

————————————————————————

8th ————————————————————

————————————————————————

————————————————————————

————————————————————————

9th ————————————

10th ————————————

11th ————————————

12th ————————————

NOVEMBER

13th ——————————————
——————————————————
——————————————————
——————————————————

14th ——————————————
——————————————————
——————————————————
——————————————————

15th ——————————————
——————————————————
——————————————————
——————————————————

16th ——————————————
——————————————————
——————————————————
——————————————————

NOVEMBER

17th ————————————————

————————————————————

————————————————————

18th ————————————————

————————————————————

————————————————————

19th — Georgie Darlington

————————————————————

————————————————————

20th ————————————————

————————————————————

————————————————————

NOVEMBER

21st ——————————————

————————————————————

————————————————————

22nd ——————————————

————————————————————

————————————————————

23rd ——————————————

————————————————————

————————————————————

24th ——————————————

————————————————————

————————————————————

NOVEMBER

25th ———————————————
————————————————————
————————————————————
————————————————————

26th ———————————————
————————————————————
————————————————————
————————————————————

27th ———————————————
————————————————————
————————————————————
————————————————————

28th ———————————————
————————————————————
————————————————————
————————————————————

NOVEMBER

29th ——————————————————

————————————————————————

————————————————————————

————————————————————————

30th ——————————————————

————————————————————————

————————————————————————

————————————————————————

DECEMBER

1st ————————————————

————————————————————

————————————————————

————————————————————

2nd ———————————————

————————————————————

————————————————————

————————————————————

3rd ————————————————

————————————————————

————————————————————

————————————————————

4th ————————————————

————————————————————

————————————————————

————————————————————

DECEMBER

5th ————————————————

————————————————————

————————————————————

6th ————————————————

————————————————————

————————————————————

7th ————————————————

————————————————————

————————————————————

8th ————————————————

————————————————————

————————————————————

————————————————————

DECEMBER

9th —————————————————
————————————————————————
————————————————————————
————————————————————————

10th —————————————————
————————————————————————
————————————————————————
————————————————————————

11th —————————————————
————————————————————————
————————————————————————
————————————————————————

12th —————————————————
————————————————————————
————————————————————————
————————————————————————

DECEMBER

13th ————————————————

————————————————————

————————————————————

14th ————————————————

————————————————————

————————————————————

15th ————————————————

————————————————————

————————————————————

16th ————————————————

————————————————————

————————————————————

————————————————————

DECEMBER

17th ————————————

18th _Katie Braham_

19th _Melissa Rigby_

20th ————————————

DECEMBER

21st ————————

22nd————————

23rd ————————

24th *Sally Finagan*

DECEMBER

25th ——————————————————
——————————————————————
——————————————————————
——————————————————————

26th ——————————————————
——————————————————————
——————————————————————
——————————————————————

27th ——————————————————
——————————————————————
——————————————————————
——————————————————————

28th ——————————————————
——————————————————————
——————————————————————
——————————————————————

DECEMBER

29th ————————————————
——————————————————
——————————————————
——————————————————

30th ————————————————
——————————————————
——————————————————
——————————————————

31st ————————————————
——————————————————
——————————————————
——————————————————